KB084553

지금까지의 이야기

피터 파커가 모르는 새 많은 일이 일어났다. 그는 자신의 어자 친구인 메리 제인 왓슨이 주연으로 출연한 영화가 그녀의 설명과는 상당히 다르다는 것을 모른다. 그는 의문의 빌런 **킨드레드**가 노먼 오스본을 쓰러뜨리고 레이븐크로프트 정신 병원에서 탈출했다는 것을 모른다. 그는 닥터 옥토퍼스와 새로운 **시니스터 식스**가 커트 코너스로부터 리저드를 분리해 팀원으로 받아들였다는 것은 알지만, 그 배후에 킨드레드가 있다는 것⋯ 그리고 옥토퍼스의 시니스터 식스는 스파이더맨을 노리는 다섯 개의 빌런 팀 중 하나에 불과하다는 것을 전혀 모른다. '알지 못하는 것은 나를 해칠 수 없다'는 말은 통하지 않는다.

NICK SPENCER (AMAZING SPIDER-MAN #70-74, SINISTER WAR #1-4)
WITH ED BRISSON (SINISTER WAR #2-4) & CHRISTOS GAGE (AMAZING SPIDER-MAN #74)
WRITERS

VC's JOE CARAMAGNA
LETTERER

LINDSEY COHICK WITH TOM GRONEMAN
ASSISTANT EDITOR

NICK LOWE
EDITOR

SPIDER-MAN CREATED BY STAN LEE & STEVE DITKO

시니스터 워
초판 1쇄 인쇄일 2023년 3월 15일 | **초판 1쇄 발행일** 2023년 3월 25일 | **지은이** 닉 스펜서 | **그린이** 마크 배글리 · 마르셀로 페헤이라 · 페데리코 비센티니 | **옮긴이** 이용석 **발행인** 윤호권 | **사업총괄** 정유한 | **편집** 조영우 | **마케팅** 정재영 | **발행처** (주)시공사 | **주소** 서울 성동구 상원길 22, 7층(우편번호 04779) | **대표전화** 02-3486-6877 **팩스(주문)** 02-585-1247 | **홈페이지** www.sigongsa.com 이 책의 출판권은 (주)시공사에 있습니다. 저작권법에 의해 한국 내에서 보호받는 저작물이므로 무단 전재와 무단 복제를 금합니다. 이 작품은 픽션입니다. 실제의 인물, 사건, 장소 등과는 전혀 관계가 없습니다. ISBN 979-11-6925-679-7 07840 ISBN 978-89-527-7352-4(세트) 시공사는 시공간을 넘는 무한한 콘텐츠 세상을 만듭니다. 시공사는 더 나은 내일을 함께 만들 여러분의 소중한 의견을 기다립니다. 잘못 만들어진 책은 구입하신 곳에서 바꾸어 드립니다.

SINISTER WAR #1-4

MARK BAGLEY (#1-4), DIO NEVES (#2, #4), CARLOS GÓMEZ (#2-3), ZÉ CARLOS (#2-3) & MARCELO FERREIRA (#4) PENCILERS

ANDREW HENNESSY (#1-4), JOHN DELL (#1-3), BRIAN REBER WITH ANDREW CROSSLEY (#3-4) COLORISTS

ANDY OWENS (#1-4), CARLOS GÓMEZ (#2-3), ZÉ CARLOS (#2-3), BRYAN HITCH WITH PAUL MOUNTS (#1-2)
DIO NEVES (#4) & MARCELO FERREIRA (#4) INKERS & ALEX SINCLAIR (#3-4) COVER ART

AMAZING SPIDER-MAN #70-73

FEDERICO VICENTINI (#70-71), FEDERICO SABBATINI (#71-72), ZÉ CARLOS (#72-73),
MARCELO FERREIRA (#72-73) & CARLOS GÓMEZ (#72-73) ARTISTS

ALEX SINCLAIR COLORIST   MARK BAGLEY, JOHN DELL & BRIAN REBER COVER ART

AMAZING SPIDER-MAN #74

MARCELO FERREIRA, MARK BAGLEY, ZÉ CARLOS, DIO NEVES,
CARLOS GÓMEZ, IVAN FIORELLI & HUMBERTO RAMOS PENCILERS

WAYNE FAUCHER, MARCELO FERREIRA, ANDREW HENNESSY, ANDY OWENS, ZÉ CARLOS,
DIO NEVES, CARLOS GÓMEZ, IVAN FIORELLI & VICTOR OLAZABA INKERS

ANDREW CROSSLEY, EDGAR DELGADO & ALEX SINCLAIR COLOR ARTISTS

J.M. DeMATTEIS, SAL BUSCEMA & BOB SHAREN SPEC #200 PAGE

PATRICK GLEASON & ALEJANDRO SÁNCHEZ COVER ART

JENNIFER GRÜNWALD COLLECTION EDITOR   JEFF YOUNGQUIST VP PRODUCTION & SPECIAL PROJECTS
SARAH SINGER EDITOR, SPECIAL PROJECTS   JAY BOWEN BOOK DESIGNER
SVEN LARSEN VP LICENSED PUBLISHING   DAVID GABRIEL SVP PRINT, SALES & MARKETING
JEREMY WEST MANAGER, LICENSED PUBLISHING   C.B. CEBULSKI EDITOR IN CHIEF

ASM #70 VARIANT BY
ROGÊ ANTÔNIO & ALEX SINCLAIR

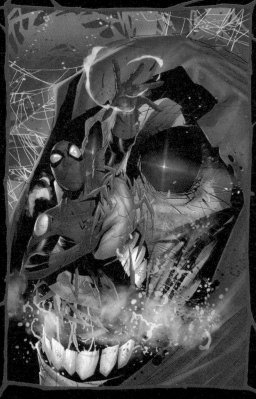

ASM #71 VARIANT BY
FEDERICO VICENTINI & ALEX SINCLAIR

ASM #72 VARIANT BY
CARLOS GÓMEZ & MORRY HOLLOWELL

ASM #73 VARIANT BY
FEDERICO VICENTINI & ALEX SINCLAIR

AMAZING SPIDER-MAN #70
시니스터 워 전주곡

"…전부 다
내 잘못이야."

전날 밤.

이제 막바지다. 인체… 아니,
반인 임상 실험만 남았군.

지난 몇 달 동안
동위 원소 유전자
가속기 성능을 끌어
올리려고 애썼다.

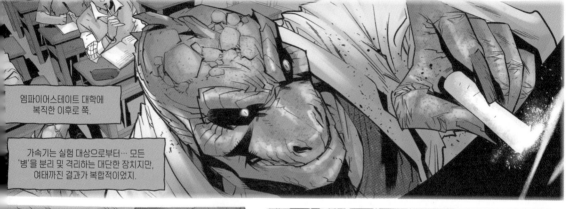

엠파이어스테이트 대학에
복직한 이후로 쭉.

가속기는 실험 대상으로부터… 모든
'병'을 분리 및 격리하는 대단한 장치지만,
여태까진 결과가 복합적이었지.

내가 아는 선에선
그랬는데…

…최근 겪은
일련의 사건 덕분에
높은 고비를
넘게 됐어.

여러 인생을
바꿀 기회에
다다른 거야.

대학이나 과학계에
대한 의무감도 있긴 하지만,
우리 가족과… 나에게 어떤
변화가 찾아올지 정말…

…기대되는군.

커트 코너스.
우리 사이에 동료애는
몰라도…

대답이야.

대답을 들어야 해. 지금 당장.

어벤저스 맨션.

정말 죄송합니다, 왓슨 양. 제가 도움이 되면 좋겠지만…

…칼리 쿠퍼 양의 행방은 전혀 알 수 없었습니다.

"룩업스 모임에 안 나오길래 연락해 보았는데…"

"…급하게 뉴욕을 떠나야 한다는 짧은 문자 메시지가 왔을 뿐이었어요."

뭔가 수상하다는 생각이 드는군요.

어딜 가서 물어도 같은 이야기야.

당분간은 좋든 싫든 여기 같이 있어야 하니까…

…얘기나 좀 해 보자. 일단, 어쩌다 여기 오게 된 거야? 서로 사정을 비교해 보면 뭔가 알게 될지도….

좋아, 근데 네 얘기가 더 대단할 것 같으니까 너 먼저 말해 봐.

다 내 탓이야.

"마침내 꿈꾸던 걸 다 이뤘는데."

"새로운 삶과 가족 말이야."

"하지만 핏줄이 날 그냥 두지 않았어."

"사용 정지된 옛 오스코프 계좌에 이상한 거래 내역이 찍히기 시작한 거야."

"그래서 조사하러 끔찍한 아버지의 유럽 별장으로 향했어."

"당연히 별장 정문을 통과하기도 전에 붙잡혔지."

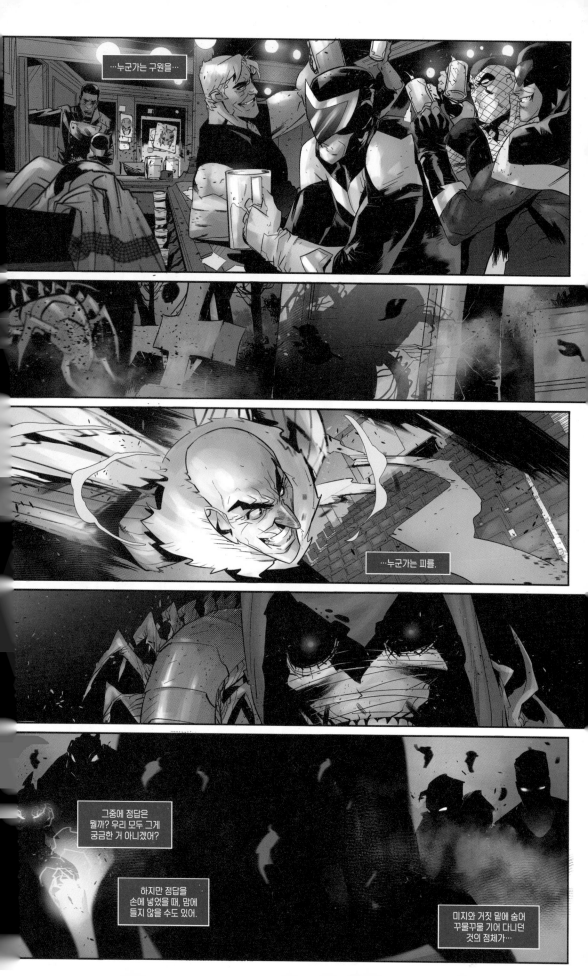

SINISTER WAR 1

…왜 이렇게 낯익지?

아직도 말 안 하다니, 놀랍군.

놀랍다니? 오히려 우리 슈퍼히어로 남자 친구가 네 정체를 얼른 밝혀 주길 바라는 눈치던데…

…미스테리오?

뭐, 굳건한 사랑엔 솔직함이 필수라는 것 정도만 알아 두라고.

개심한 범죄자라고.

환각과 위장의 달인인 범죄자께서 솔직함을 논하시다니, 이거 참.

그래, '개심'했다는 걸 어떻게 설명할지가 문제라니까. 오늘 밤 타이거한테 얘기할 거야. 잘 받아들이길 바라야지.

걘 깜짝 이벤트를 싫어하거든.

MJ는 깜짝 이벤트를 좋아해.

그래서 오늘 밤, 아주 커다란 이벤트를 준비했어.

정말 오래 걸렸지….

원래는 지난달에 하려고 했지만, 늘 그렇듯 일이 터져서 할 수 없었어.

하지만 오늘은 준비됐다고. 완벽한 기회야.

영화가 끝나고 조명이 켜지면서…

…쿠키 영상이 나올 때.

어머, 어머. 자리를 잡아 주셨네.

늦어서 미안해.

그렇지만 팝콘은 오래전에 사라져 버렸습니다요.

늦기는.

너 없으면 행사 진행 자체가 안 되는걸.

BOOM

이야… 요즘 영화관 스피커가 짱짱한 건 알았어도, 이 정도일 줄은—

MJ, 이거—

영화 소리가 아냐.

자, 여러분! 최초로 공개되는 신작!

난리 통 속에서…

MJ?

…MJ를…

…완전히 놓쳐 버렸어.

하지만…

…사람들 시선이 다른 곳에 몰렸을 때를 이용해야 해.

나쁜 놈들한테 집중하자, 파커.

MJ는 자기 몸 챙기면서…

…타인까지 구하는 사람이니까!

도, 도와줘요….

짜고 친다는 건 금방 알 수 있었어.

말도 안 돼. 이 몸은—

말 돼, '케이지'.

쿠엔틴은 달라졌어. 난 개심한 쿠엔틴을 돕고 싶었고. 영화로 자기 이야기를 모두에게 알리려던 거야.

MJ, 이놈은 범죄자야. 믿으면 안 돼.

네 룸메이트나 전 여자 친구처럼?

그건 좀…

…치사하네.

조심해!

SINISTER WAR #1 VARIANT BY **KAEL NGU**

AMAZING SPIDER-MAN #71

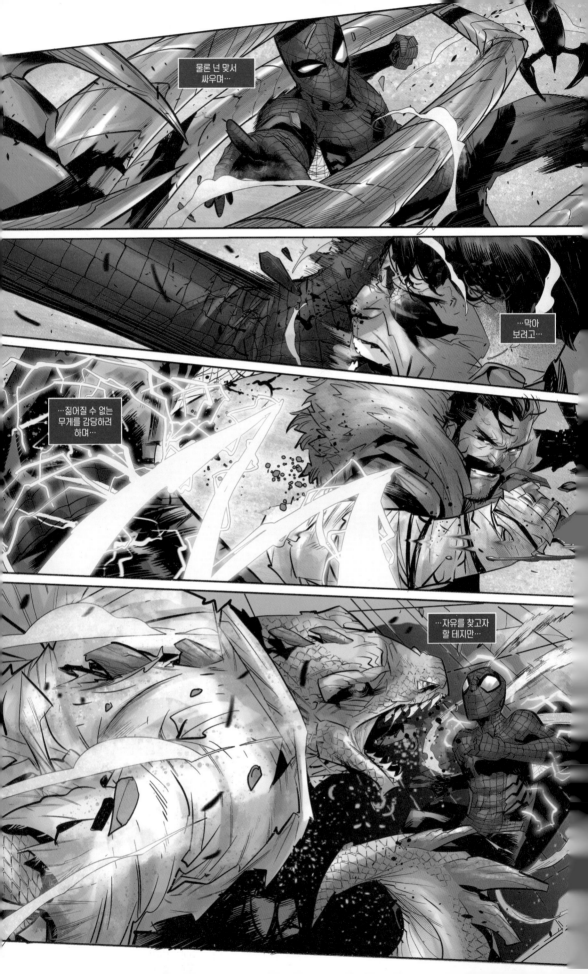

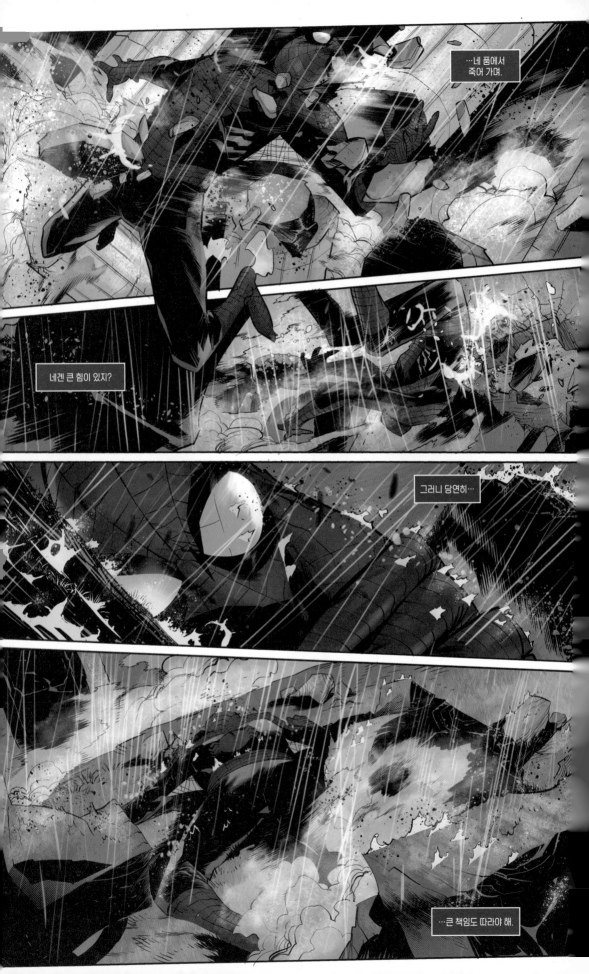

*「데어데블」(1999)
#7 참조. ― 편집자

"…전혀 간단한
일이 아니었어."

"지은 죄에 대한
벌을 받게 돼서…"

"…영겁 같은
고통에
시달렸거든."

"그러다 그자가
날 찾아왔어."

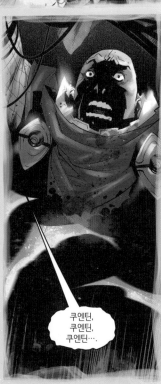
쿠엔틴,
쿠엔틴,
쿠엔틴….

거래를 하나
할까 싶은데….

"그렇게 필멸자의 세상에
돌아와 자유로워진 줄 알았어."

"난 주인이 시킨
일을 하고…"

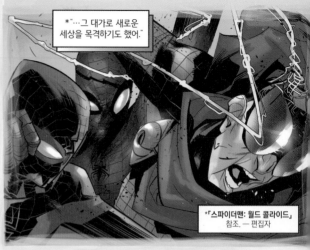

*"…그 대가로 새로운
세상을 목격하기도 했어."

*「스파이더맨: 월드 콜라이드」
참조. — 편집자

"하지만 해가 지나갈수록
주인이 날 찾아오는
횟수가 줄어들더군."

"다시 옛날 같은 삶으로
돌아오자, 난 점점
확신하게 됐지."

'다 끝났구나' 하고.
근데 아니었어.

"고문은 막 시작된
참이었던 거야."

결국
지옥이란
것은…

"...몇 년 후에
다시 찾아왔잖아."

"절친한 사이인 해리
오스본이 죽었을 때였지."

*고전 「스팩태큘러 스파이더맨」
#200에서의 일. — 편집자

죄책감이 정말
컸어….

하지만 그때
상담사가 은퇴한 바람에
새로운 사람을 만났었는데,
누군지 기억나?

"아,
아니…."

"기억할 거야.
집중해 봐. 이름만
떠올리면 돼."

"이름이…
이상했는데…."

"루드윅."

"루드윅
라인하트였어."

SINISTER WAR #2-4 VARIANTS BY
CARLOS GÓMEZ & MORRY HOLLOWELL

SINISTER WAR 2

스피드 데몬, 다음에는 날아다니는 애들 좀 더 뽑자.

누구 덕에 비틀이 나가 버려서….

가만히 좀 있어, 젠장.

하이드로맨, 이 자식이 제일 짜증 나.

그래도 샌드맨보단 낫지. '지옥 물'이라고 하면 나쁘지 않잖아.

그럴지도….

하지만 전기 충격 기능이 추가된 새 건틀렛과 함께라면 얘기가 다르다니까.

'하이드로-일렉트릭 엿 먹이기'다!

이 정도 쇼크면 당분간은 못 일어날걸.

아직도 이 둘을 못 잡았나?

워워, 멈춰 봐!

오버드라이브, 킨드레드가 뭘 준다고 했는지는 몰라도 지금 실수하는 거야. 너 이런 사람 아니잖아.

그래? 내가 누군데? 그렇게 잘 알면 어디—

날아다니는 녀석 하나 더 있었으면 더 유리했겠지.

SLOOP

배달 고마워.

여기서부턴 우리가 데려갈게.

으아아아아!!!

놀랍지도 않군.

THUD

뻔한 것들. 너희 같은 족속에 대해 알기 위해 난 영겁 같은 화염 속에서 시달렸어. 그리고 단 한 가지 깨달음을 얻었지. 그건 바로…

…고통이야.

너희가 잠든 사이 이 녀석을 머릿속에 넣어 놨다.

지은 죄를 떠올리게 해 줄 거야.

작은 목소리라고 생각해.

"…다른 녀석
알아볼 거니까."

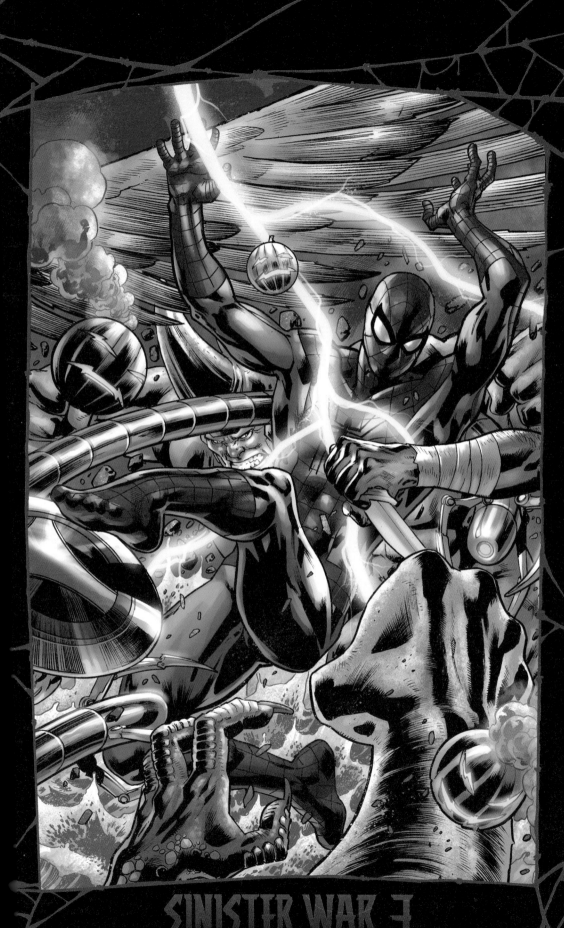

SINISTER WAR 3

ASM #70 ANIME VARIANT BY
PEACH MOMOKO

ASM #71 ANIME VARIANT BY
PEACH MOMOKO

ASM #72 SILK ASIAN VOICES VARIANT BY
INHYUK LEE

ASM #74 VARIANT BY
CARLOS GÓMEZ & MORRY HOLLOWELL

AMAZING SPIDER-MAN #72

"…같이 저지른 일을."

진짜 좋아요, 아빠!

좋다니 다행이구나, 해리. 코니 아일랜드는 정말 멋진 곳이야.

저거 타도 돼요?

그럼, 당연하지….

…네 생일인걸.

정말 운 좋은 아이네요.

근데 솔직히 제일 운 좋은 건 저 같습니다. 저희 고향에선 먹을 게 진짜 귀하거든요.

이것 좀 보세요.

당신.

내가 분명 관심 없다고 했지.

누군지도 모르는데 무슨—

왜 이럴까, 노먼. 누군지도…

…뭘 원하는지도 잘 알면서.

SINISTER WAR 4

내 손!

거리 쪽으로 가면 안 돼.

무고한 사람이 다칠 걱정 없는 곳으로 가자.

저거너트가 온 도로를 박살 내지 않게 해 달라고 기도할 필요 없는 곳으로.

우리가 스파이더맨
영웅 전설의 막을
내리는 동안.

…적이었지만
동료가 된 자까지.

그러니 네가
없으면…

…이놈들은
어떻게 될까?

무엇이
이 녀석들을
이끌까?

부메랑….

날 배신했을 땐 정말 상처가 컸어. 악연이 깊었어도 분명 친구가 됐다고 믿었으니까.

자기 목숨 때문에 날 배신했지.

근데 그 목숨으로 날 구한 거야. 그 희생을 절대…

…헛되게 하지 않겠어.

진짜로…?

죽었어.

도대체 왜 그런 거지?

"…그럴 바엔 자기 뜻대로 죽기로 한 거지."

계속 싸우려면 적을 줄여야 해.

다 말도 안 되는 짓이니까.

무슨 수를 써도 우린 다 죽어. 부메랑은…

이걸로 몇 분 정도는 벌었다.

AMAZING SPIDER-MAN #73
아버지들의 죄

"아이들이 널 만난 거야."

*「어메이징 스파이더맨 컴플릿 컬렉션 BOOK 3」 참조. 곧 출간 예정!

AMAZING SPIDER-MAN #74
승리의 대가는?

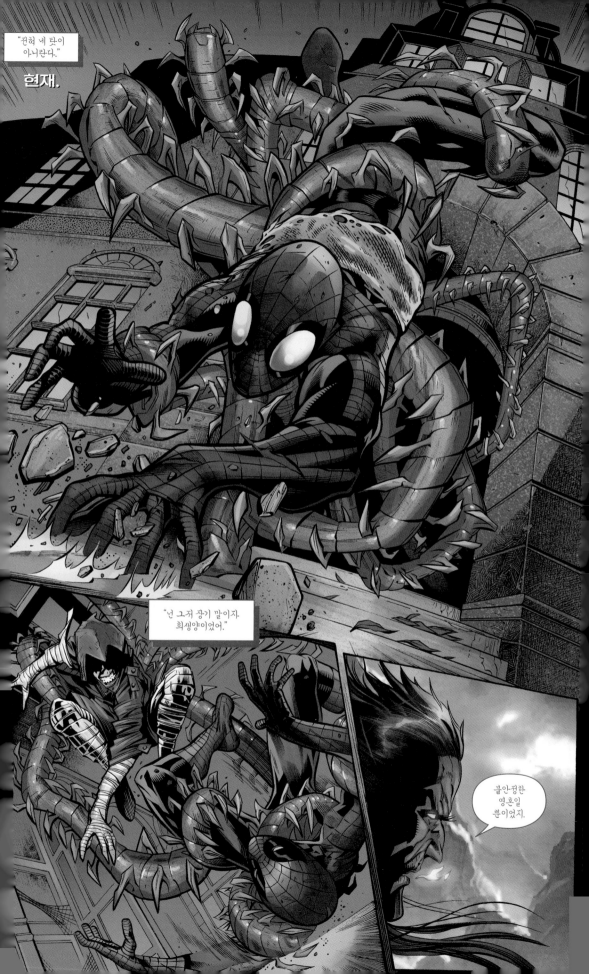

"...무르기 없기야."

해리, 도대체 어떻게 된 거야? 넌 여기 있는데—

간단해, 칼리.

난 클론이야.

왜 우린 항상 클론이랑 엮이는 걸까?

이제 남은 일은 진실을 받아들이고…

정확히… 어떻게 하겠다는 건데?

내가 갈 걸 알고 있어. 난 준비 끝났고.

내 말 들리냐? 준비됐다고!

여, 여긴 어디야?

우리 집.

거짓말!

크아아아아악!

CRUNCH

진짜
해야 하나?

해야겠네.

그린 고블린을
살려 보자고.

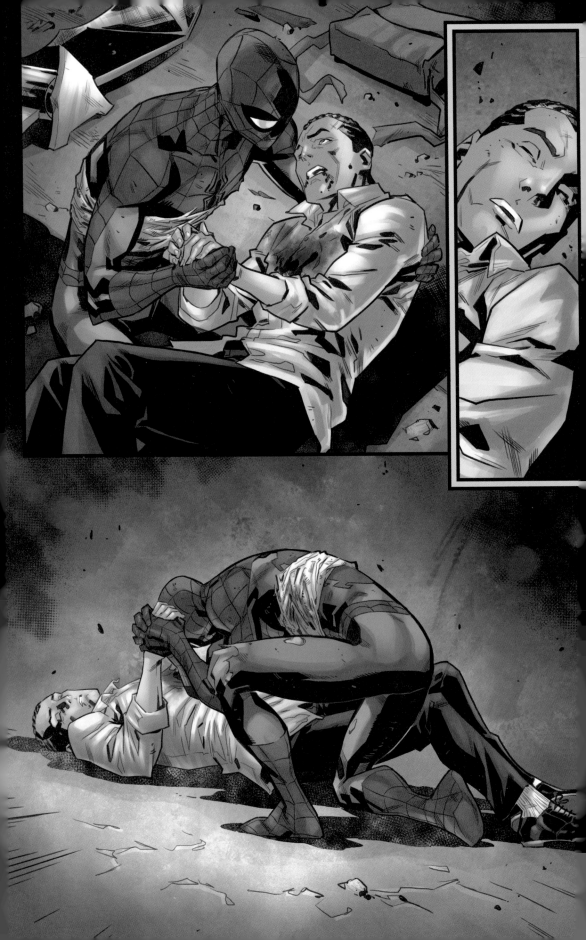

ASM #74 VARIANT BY MARCELO FERREIRA & MORRY HOLLOWELL

…있긴 하죠.
뭔가 하긴 했어요.

근데 무슨 의미가
있나요?

사랑하는
사람들을 실망시킨 데다…
더는 세상에 없는
사람도 있어요.

더 잘해 줄 수
있었는데….

허허.

이런. 웃을
생각은 없었는데,
벤을 빼다 박은 것
같구나.

똑같아.

네?

누가 왔는지 안 궁금해?

또 팟캐스트 듣고 온 돌대가리겠죠. 저번 녀석은 케인이 저지른 살인을 전부 저한테 뒤집어씌우려고 했다니까요.

오늘 온 사람들은 팟캐스트 안 할 것 같던데.

수갑 안 채워요?

채우지 말래.

누군진 몰라도 네 친구들 뒷배가 대단하나 보다?

그게 문제예요.

전 친구 없거든-

일렉트로

본명: 프랜신 프라이

직업: 전문 범죄자

법적 지위: 미합중국 국민(전과 있음)

다른 가명: 없음

신원: 알려지지 않음

출생지: 알려지지 않음

결혼 여부: 미혼

가족 관계: 없음

소속: 신디케이트, 전 시니스터 식스 일원

활동 근거지: 유동적

첫 등장: 「어메이징 스파이더맨」(2014) #2(프랜신 프라이로서), 「어메이징 스파이더맨」(2016) #17(일렉트로로서)

내력: 열렬한 채식주의자인 프랜신 프라이는 온몸에 문신과 피어싱을 하고, 스파이더맨(피터 파커)과 싸우는 슈퍼빌런을 추종하는 열성 팬이었다. 프랜신은 일렉트로(맥스 딜런)와 키스했다가 딜런의 전기 능력이 문제를 일으켜 감전사하고 말았다. 몇 달이 지난 후, 정신적으로 불안한 상태였던 자칼(벤 라일리)이 프라이의 시신에서 유전 물질을 채취해 프라이를 클론으로 부활시켰다. 프라이의 새로운 몸엔 문신과 피어싱이 없어졌다. 딜런이 다시 초능력을 조절할 수 있게끔 실험에 참여하라는 제안을 한 자칼은 딜런에게 프라이의 부활 소식을 알렸다. 프라이는 잔뜩 겁을 먹고 슈퍼빌런의 영역에 발을 들이려 했던 과거를 후회했지만, 예상치 못한 일이 벌어졌다.

프라이가 사망하기 직전 딜런과 키스하면서 프라이의 입 안에 딜런의 DNA가 묻었고, 딜런의 DNA에 맞춰 설정된 자칼의 기계 장치가 딜런의 초능력을 프라이에게 옮긴 것이었다. 초능력에 취한 프라이는 남은 힘을 흡수하기 위해 딜런에게 키스했다가 실수로 딜런을 살해하고 말았다. 새로운 일렉트로가 되어 초능력에 매료된 프라이는 금전적 이익과 파괴의 길을 좇는다. 일렉트로는 잠시 시니스터 식스로 활동한 적도 있지만, 리더인 부메랑에게 배신당하고 나서 혼자 다니기로 정한다. 이후 경찰에 잡히기도 하지만 여성 범죄 조직인 신디케이트에 구출되고, 부메랑에게 복수할 날을 기다리며 마지못해 신디케이트에 합류한다. 일렉트로는 현재 체포되지 않았다.

신장: 172센티미터

체중: 83킬로그램

눈동자: 푸른색

머리카락: 갈색(초록색으로 염색할 때도 있음)

신체 능력: 동력원을 통해 강화되지 않은 상태에서 일렉트로는 연령, 신장, 체형이 비슷하고 정기적으로 운동하는 평범한 여성과 근력이 같다. 강화 상태에서는 약 226킬로그램의 힘으로 들어 올리거나 누를 수 있다.

초능력: 일렉트로는 정전기 에너지를 분당 1,000볼트, 최대 100,000 볼트까지 저장, 조작, 생산할 수 있다. 이 에너지를 번개와 유사한 아크 방전으로 사용해 시속 1200킬로미터 속도로 30미터까지 투사하거나 신체를 띄워 근처 전기 장치에서 나오는 자력선을 타고 시속 225킬로미터 속도로 날아오를 수 있다. 또한 전자 기기를 조종할 수도 있다. 에너지를 전개하면 일렉트로의 신체가 알아서 저장량을 보충한다. 일렉트로는 방전할 전기 양을 1볼트부터 치명적인 100,000볼트까지 정신으로 조절하며, 자기 자신을 변압기처럼 사용해 다른 동력원의 에너지를 전달할 수도 있다. 일렉트로의 능력은 동력원이 충분할 경우 큰 폭으로 강화되는 것으로 추정된다.

한계: 일렉트로의 능력은 물에 닿을 경우 무력화된다.

특징: 일렉트로는 스크랩북 만들기를 좋아하며 SNS에 능숙하다.

SINISTER WAR #1 HANDBOOK VARIANT BY **DAVID BALDEÓN** & **ISRAEL SILVA**
TEXT BY **MIKE O'SULLIVAN**

라이노

본명: 알렉세이 미하일로비치 시체비치
직업: 범죄자, 용역 폭력배, 전직 소설가, 전직 각본가
법적 지위: 러시아 국민(러시아, 미국 전과 있음)
다른 가명: 없음
신원: 대중적으로 잘 알려짐
출생지: 밝혀지지 않음
결혼 여부: 사별
가족 관계: 미리암 시체비치(모친, 사망), 신원 미상 부친, 신원 미상 자매와 매부, 알렉시아(조카), 옥사나 시체비치(아내, 사망)
소속: 전 시니스터 식스, 전 시니스터 신디케이트
활동 근거지: 유동적
첫 등장: 「어메이징 스파이더맨」(1966) #41(라이노로서), 「어메이징 스파이더맨」(1966) #43(알렉세이 시체비치로서)
내력: 러시아 삼류 폭력배였던 알렉세이 시체비치는 러시아 과학자들에게 부와 힘을 주겠다는 제안을 받고 강력한 암살자를 만드는 실험에 참여했다. 과학자들은 시체비치의 지능이 낮아 실험 대상으로 용이하다고 판단했다. 몇 달간의 실험 끝에 시체비치는 지능이 높아지고 체격이 슈퍼휴먼 급으로 커졌으며, 코뿔소를 본뜬 새로운 슈트를 지급받았다. 시체비치는 과학자들을 배신하고 미국으로 건너가 '라이노'라는 이름의 용병으로 활동을 시작했다. 시체비치는 여러 활동을 벌이면서 스파이더맨(피터 파커)과 자주 맞닥뜨렸고, 대부분 패배하여 여러 번 감방에 투옥됐다. 이후 거듭해 방사선 실험에 노출되면서 시체비치의 능력은 더욱 강력해졌지만, 헐크(브루스 배너)와의 갈등을 빛으며 슈트가 피부에 붙어 버렸다. 몸에 붙은 슈트를 제거할 방법을 찾기 위해 라이노는 범죄 조직 시니스터 신디케이트에 가입해 용병 활동을 재개했다. 이후 슈트를 분리해 낸 시체비치는 새로운 라이노 슈트를 얻고, 가족을 미국으로 데려오기 위한 자금을 마련하는 방법을 모색했다. 시간이 흘러 시체비치는 범죄 행위를 그만두고 '옥사나'라는 웨이터를 만나 결혼했지만, 신원 미상의 한 범죄자가 새로운 라이노를 자처하며 옥사나를 살해하고 말았다. 분노와 슬픔에 잠긴 시체비치는 새로 나타난 라이노를 살해하고, 다시 라이노가 되어 시니스터 식스와 범죄의 길로 돌아섰다. 나중에 스파이더맨은 시체비치를 설득해 그 슬픔을 동기로 범죄 행위를 그만두고 다시금 옥사나가 바라던 사람이 되도록 설득했다.

신장: 195센티미터
체중: 322킬로그램
눈동자: 갈색
머리카락: 갈색
신체 능력: 라이노는 초인 수준의 힘을 낼 수 있다. 컨디션이 좋을 때 약 75톤의 힘으로 들어 올리거나 누를 수 있다.
초능력: 라이노는 초인 수준의 지구력, 내구력, 빠르기로 경전차급 화력을 버티고, 짧은 거리를 시속 70킬로미터 속도로 달릴 수 있다.
한계: 신체를 강화하는 감마 방사선이 사라지면 신체 및 지적 능력이 원래 수준으로 감소한다. 방사선 처치를 받으면 다시 능력과 지능이 높아진다.
무기: 라이노는 코뿔소 외피를 모방해 만든 충격 방지 슈트를 입는다. 이 슈트는 1톤급 TNT 충격량과 극한 온도를 막을 수 있다. 머리에 달린 뿔 두 개는 5센티미터 두께 강철판을 뚫는다.

SINISTER WAR #2 HANDBOOK VARIANT BY DAVID BALDEÓN & ISRAEL SILVA
TEXT BY MIKE O'SULLIVAN

사냥꾼 크레이븐

본명: 세르게이 크라비노프

직업: 전문 사냥꾼, 용병

법적 지위: 전 러시아, 영국, 미국, 에티오피아 국민(국제 전과 있음)

신원: 대중적으로 잘 알려짐

출생지: 러시아 볼고그라드

결혼 여부: 사별

가족 관계: 알렉산드라 '사샤' 니콜라이비치 크라비노프(아내, 사망), 블라디미어 크라비노프(그림 헌터, 아들, 사망), 네드로치 탄넨가든(아들, 사망), 알료샤 크라비노프(아들, 사망), 아나 타티아나 크라비노프(딸로 추정됨), 드미트리 스메디아코프(카멜레온, 이복동생), 크레이븐 최후의 아들(클론 아들), 86명의 클론 아들(전원 사망)

소속: 전 시니스터 식스

활동 근거지: 유동적

첫 등장: 「어메이징 스파이더맨」(1964) #15, 「센세이셔널 스파이더맨 '96」(1996), 「웹 오브 스파이더맨」(2010) #7

내력: 크라비노프 가문은 러시아 귀족이었으나 불명예스럽게 조국을 떠났다. 세르게이 크라비노프가 밀입국자가 되어 전 세계를 떠돌다가 아프리카에서 천부적인 사냥 재능을 계발하고, 전설에 길이 남을 사냥꾼 크레이븐으로 거듭났다. 그리고 어느 마녀의 돌연변이 혈청을 훔쳐 마시고는 신체 능력이 강화되고 노화까지 느려지게 되었다. 지구상의 모든 맹수를 쓰러뜨린 크레이븐은 미국으로 건너가 스파이더맨(피터 파커)을 사냥하려 하지만, 패배했다. 스파이더맨을 최후의 사냥감으로 보고 집착하게 된 크레이븐은 오랜 세월 혼자서 혹은 시니스터 식스와 함께 스파이더맨 사냥을 시도했다. 마침내 사냥에 성공하고 잠시 동안 스파이더맨의 자리를 취한 크레이븐은 소명을 이뤘다고 여기고 자살했다. 가문의 영광을 되찾길 바란 크레이븐의 아내와 자식들이 미지의 힘으로 크레이븐을 부활시켰지만, 광분한 크레이븐은 사이코패스처럼 아내와 자식을 살해했다. 적합한 후계자를 바란 크레이븐은 자기 자신을 복제해 87명의 아들을 만든 뒤, 세계 각지에 보내 각자의 존재를 증명하게끔 했다. 시간이 흘러 한 클론이 다른 86명을 모조리 사냥해 살해했다는 것을 알게 된 크레이븐은 넘칠 듯 기뻐하며 그 클론을 크레이븐의 마지막 아들로 공표했다. 수많은 동물 콘셉트 슈퍼빌런과 마지막 아들, 스파이더맨이 엮인 대규모 사냥을 꾸민 크레이븐은 클론이 자신을 살해하게끔 함으로써 영면에 들었다. 클론은 이후 크레이븐이 남긴 편지를 읽고, 마지막 아들로서 엄청난 자부심을 느끼며 사냥꾼 크레이븐의 이름을 물려받았다.

신장: 182센티미터

체중: 106킬로그램

눈동자: 갈색

머리카락: 검정색

신체 능력: 크레이븐은 약초로 만든 특별한 물약을 섭취해 초인적인 근력을 발휘하며, 2톤의 힘으로 들어 올리거나 누를 수 있다.

초능력: 크레이븐은 단거리를 시속 96킬로미터의 속도로 달리며, 제자리멀리뛰기로 6미터를 뛴다. 또한 피로가 몰려들기 전까지 30분 동안 전력으로 활동할 수 있다.

한계: 크레이븐은 초인적인 능력을 유지하기 위해 주기적으로 약초로 만든 특별한 물약을 섭취해야 한다. 가능하면 총기와 활을 쓰지 않는다.

특징: 크레이븐 야생 동물 길들이기와 사냥의 달인이다. 근접 격투에도 숙달됐으며, 특히 동물을 모방한 격투술에 능하다.

무기: 크레이븐은 다트, 바람총, 창, 채찍, 그물, 독극물, 독가스 등 다양한 무기를 사용한다. 전기파나 초음속파를 발사하는 조끼를 입는다.

SINISTER WAR #3 HANDBOOK VARIANT BY DAVID BALDEÓN & ISRAEL SILVA
TEXT BY MIKE O'SULLIVAN

레이디 옥토퍼스

본명: 캐롤린 트레이너

직업: 전문 범죄자, 전 연구원, 전 과학자, 전 가상 현실 전문가

법적 지위: 미합중국 국민(전과 있음)

다른 가명: 닥터 옥토퍼스

신원: 경찰 기관에만 알려짐

출생지: 밝혀지지 않음

결혼 여부: 미혼

가족 관계: 슈어드 트레이너(부친, 사망)

소속: 신디케이트

활동 근거지: 뉴욕주 뉴욕시

첫 등장: 「어메이징 스파이더맨(1995)」 #405(기계 팔만 나옴), 「어메이징 스파이더맨(1995)」 #406(닥터 옥토퍼스), 「스파이더맨 언리미티드」(1997) #18 (레이디 옥토퍼스)

내력: 캐롤린 트레이너는 인간 생명보다도 과학을 우선 숭배하는 슈어드 트레이너 박사 밑에서 자랐다. 캐롤린 트레이너는 핵물리학자인 오토 옥타비우스를 추종해 그를 스토킹했고, 옥타비우스가 과대망상증에 빠져 닥터 옥토퍼스가 된 후에도 감옥까지 찾아갔다. 트레이너가 가상 현실 전문가가 되자 옥타비우스는 트레이너에게 조수 자리를 제안하며 여러 범죄 행위에 도움을 청했다. 옥타비우스가 살해당한 후, 트레이너는 닥터 옥토퍼스의 기계 팔, 조직, 이름을 물려받고, 스파이더맨(피터 파커)과 그 클론인 벤 라일리에게 맞서 싸웠다. 이후 트레이너는 트루 빌리버스라는 사이비 종교 집단을 도와 옥타비우스를 부활시키고, 기계 팔과 이름을 돌려준 후 다시 옥타비우스의 조수가 되었다. 시간이 흘러 트레이너는 또 다른 기계 팔을 얻어 용병인 레이디 옥토퍼스로 활동하며 여성 범죄 조직인 신디케이트에 합류했다. 레이디 옥토퍼스는 현재 체포되지 않았으며, 경찰 당국이 수배 중이다.

신장: 177센티미터

체중: 63킬로그램

눈동자: 갈색

머리카락: 갈색(이전에 보라색으로 염색)

신체 능력: 레이디 옥토퍼스는 연령, 신장, 체형이 비슷하고 정기적으로 운동하는 평범한 여성과 근력이 같다. 기계 팔은 각각 약 8톤을 들어 올리고 제곱센티미터당 80킬로그램의 힘으로 사물을 움직여준다.

초능력: 레이디 옥토퍼스는 정신 명령으로 기계 팔을 조종하고, 기계 팔로 기본적인 감각을 느낄 수 있다.

특징: 레이디 옥토퍼스는 핵물리학자로, 컴퓨터 공학에 복수 학위를 취득했다.

무기: 닥터 옥토퍼스는 4개의 기계 팔을 정신 명령으로 조종한다. 티타늄-강철 합금 재질의 기계 팔은 신축하며 물체를 집을 수 있고, 닥터 옥토퍼스가 허리에 두른 스테인리스강 재질 벨트에 연결되어 있다. 각 팔은 약 7미터까지 늘어나며, 핵물질을 원료로 쓰는 소형 열전기력 발전기로 작동해 초당 27미터의 거리를 이동하고 착암기 수준의 위력으로 물체를 타격할 수 있다. 닥터 옥토퍼스는 이 기계 팔을 이용해 벽을 타거나 시간당 80킬로미터의 속도로 이동한다. 트레이너는 기계 팔을 개조하여 전기 충격 장치, 역장, 인터넷 연결 플러그를 부착했다. 뇌에 이식한 전자 칩을 통해 인간의 생각이나 기억 등 정보에 읽어 들이고, 가상 현실 물체 및 환경을 만들 수 있다. 또한 다양한 드론, 갑옷, 안드로이드, 레이저 무기를 제작해 부하들에게 제공했다.

닥터 옥토퍼스

본명: 오토 건서 옥타비우스
직업: 범죄자, 전직 원자력 과학자
법적 지위: 미합중국 국민(전과 있음)
신원: 대중적으로 잘 알려짐
출생지: 뉴욕시, 스키넥터디
첫 등장: 「어메이징 스파이더맨」(1963) #3
내력: 과보호하는 어머니와 폭력을 휘두르는 아버지 밑에서 자랐음에도 오토 옥타비우스는 천재적인 원자력 과학자가 됐고, 방사성 물질을 다루기 위해 4개의 기계 팔을 사용했다. 연구소 사고로 뇌의 영구적인 손상과 함께 기계 팔을 정신 명령으로 조종하는 능력을 얻은 오토는 과대망상증에 빠져 '닥터 옥토퍼스'로서 범죄를 저지르며 힘과 부를 좇기 시작했다. 마스터 플래너라는 이름으로 잠깐 활동하던 그는 홀로 또는 시니스터 식스와 함께 여러 슈퍼히먼 히어로와 싸우다 이내 스파이더맨(피터 파커)의 주된 적이 되었다. 뉴욕 경찰 서장인 조지 스테이시(피터의 여자 친구였던 그웬의 아버지)가 두 사람의 싸움에 휘말려 사망하면서 오토와 스파이더맨의 적대 관계는 더욱 굳건해졌다. 피터의 숙모인 메이가 우라늄 광산이 있는 섬을 상속받자, 오토는 메이와 스파이더맨이 무슨 관계인지 알지 못한 채로 광산을 노리고 메이와 결혼하려 했다. 하지만 그의 라이벌인 해머헤드, 스파이더맨과 싸우면서 섬이 파괴되자 결혼 작전을 파기했다. 이후 긴 세월 동안 쌓인 부상 때문에 신경 변성 질환이 생겨 죽어 가던 오토는 피터의 몸을 가로채는 데에 성공했지만, 그 몸에 남아 있던 피터의 기억과 선함에 감응하여 악당과 싸우는 '슈피리어 스파이더맨'이 되었다. 그러나 최후엔 피터가 더 나은 히어로임을 인정하고 몸의 통제권을 다시 피터에게 넘겼다. 자신의 의식을 복사하여 리빙 브레인에 다운로드해 뒀던 오토는 자신과 피터 파커의 유전자를 합성해 만든 클론을 새 육체로 삼았다. 또 다른 범죄자에 맞서기 위하여 악마 메피스토와 거래해 원래의 몸을 되찾은 오토가 범죄자로서의 행보를 이어 나갈지는 더 지켜봐야 할 듯하다.
신장: 175센티미터
체중: 111킬로그램
눈동자: 갈색
머리카락: 갈색
신체 능력: 닥터 옥토퍼스는 연령, 신장, 체형이 비슷하고 정기적으로 운동하지 않는 평범한 남성과 근력이 같다. 기계 팔은 각각 약 8톤의 무게를 들어 올릴 수 있으며 제곱센티미터 당 약 80킬로그램의 힘으로 사물을 움켜쥔다.
초능력: 닥터 옥토퍼스는 정신 명령으로 4개의 기계 팔을 조종하며, 기계 팔이 보내는 감각을 느낄 수 있다.
특징: 닥터 옥토퍼스는 핵방사선과 인체 파폭 분야의 세계적인 권위자이자 천재적인 공학자, 발명가이다.
무기: 닥터 옥토퍼스는 4개의 기계 팔을 정신 명령으로 조종한다. 티타늄-강철 합금 재질의 기계 팔은 신축하며 물체를 집을 수 있으며, 닥터 옥토퍼스가 허리에 두른 스테인리스강 재질 벨트에 연결되어 있다. 각 팔은 약 7미터까지 늘어나며, 핵 물질을 원료로 쓰는 소형 열전기력 발전기로 작동해 초당 27미터의 거리를 이동하고 착암기 수준의 위력으로 물체를 타격할 수 있다. 닥터 옥토퍼스는 이 기계 팔을 이용해 벽을 타거나 시간당 80킬로미터의 속도로 이동한다.

ASM #70 HANDBOOK VARIANT BY DAVID BALDEÓN & ISRAEL SILVA
TEXT BY MIKE O'SULLIVAN

리저드

본명: 커티스 코너스

직업: 유전자 공학 연구원이자 대학 교수

법적 지위: 미합중국 국민(전과 있음)

출생지: 플로리다주 코럴게이블즈

결혼 여부: 사별

가족 관계: 마사 코너스(배우자), 윌리엄 코너스(아들)

소속: 전 시니스터 트웰브

활동 근거지: 뉴욕주 뉴욕시, 플로리다주 웨스트팜비치

첫 등장: 「어메이징 스파이더맨」(1963) #6

내력: 군의관이던 커트 코너스는 전쟁에서 입은 상처가 괴사해 오른팔을 절단했다. 그로 인해 더는 수술할 수 없게 된 코너스는 손상된 사지를 재생하는 파충류의 능력에서 영감을 얻은 뒤, 파충류 분자 생물학과 그 DNA를 연구하는 세계적인 과학자가 되었다. 코너스는 인간 사지를 재생하는 약물을 제조하여 이를 마시고 새 오른팔을 얻었지만, 부작용으로 반인 반수 도마뱀이 되어 냉혈 동물 군단을 이끌며 인류를 멸망시키려 했다. 스파이더맨(피터 파커)은 과학 지식과 코너스가 남긴 메모를 활용해 해독제를 만들어 리저드에게 먹이는 데 성공하고, 리저드는 일시적이지만 인간의 모습으로 돌아왔다. 그 이후로 코너스는 주기적으로 변해 난폭한 리저드로 변해 스파이더맨과 싸우게 됐다. 미쳐 버린 리저드가 자식인 빌리를 먹어 버린 후, 자칼(벤 라일리)은 마사와 빌리를 복제했다. 자칼은 모든 인간을 죽인 후에 그 정신을 대체 가능한 클론 신체로 옮김으로써 죽음을 정복할 계획을 세웠고, 리저드의 도움을 받기 위해 되살아난 가족을 미끼로 사용했다. 마사와 빌리가 또 죽는 걸 두고 볼 수 없던 코너스는 마사와 빌리에게 억지로 리저드 혈청을 투약하고, 두 사람 모두 도마뱀 인간이 되었다. 코너스 가족이 리저드 인격을 통제할 수 있을지는 더 지켜봐야 알 듯하다.

신장: 약 180센티미터(코너스일 때), 207센티미터(리저드일 때)

체중: 79킬로그램(코너스일 때), 249킬로그램(리저드일 때)

눈동자: 푸른색(코너스일 때), 붉은색(리저드일 때)

머리카락: 갈색(코너스일 때), 없음(리저드일 때)

신체 능력: 커티스 코너스는 연령, 신장, 체형이 비슷하고 정기적으로 최소한의 운동을 하는 평범한 남성과 근력이 같다. 리저드일 때는 12톤의 힘으로 누르거나 들어 올릴 수 있다.

초능력: 손상된 사지를 재생하고, 폭력성을 부추기는 페로몬을 분비한다. 상온과 따뜻한 환경에서 월등하게 빠른 반응 속도를 보인다. 또한 제자리높이뛰기로 3.6미터, 제자리멀리뛰기로 5.5미터를 점프할 수 있으며, 시속 72킬로미터의 속도로 달린다. 악어가죽 같은 외피가 방탄 역할을 해 소구경 총알은 통하지 않는다. 약 2미터 길이 꼬리를 시속 112킬로미터의 속도로 휘두르며 손과 발에 난 갈고리발톱으로 벽면에 몸을 붙이고 기어 다닌다. 텔레파시와 유사한 소통 능력으로 반경 1.6킬로미터 내 파충류에게 명령을 내릴 수 있다.

한계: 코너스가 리저드로 변신하면 뇌의 R 영역이 활성화해 인간성이 얇아지고 야수성이 짙어진다. 냉혈 동물이기 때문에 저온 환경에서는 반응 속도가 느려지며, 극한 환경에서는 동면하기도 한다.

특징: 뛰어난 의학 박사 겸 수술의. 생물학과 변이 유발 생화학에 박사 학위가 있으며, 일류 파충류학자이다.

ASM #71 HANDBOOK VARIANT BY DAVID BALDEÓN & ISRAEL SILVA
TEXT BY MIKE O'SULLIVAN

벌처

본명: 에이드리언 툼즈

직업: 전문 범죄자, 전직 전기 기술자.

법적 지위: 미합중국 국민(전과 있음)

다른 가명: 없음

신원: 대중적으로 잘 알려짐

출생지: 뉴욕시 스태튼 아일랜드

결혼 여부: 사별

친인척 관계: 신원 미상 배우자(사망), 발레리아 제섭 (딸), 프랭키 툼즈(아들), 레노라 툼즈(며느리), 티아나 툼즈(스탈링, 손녀), 신원 미상 아들, 라모나(성은 알 수 없음, 며느리), 신원 미상 손자 2명

소속: 새비지 식스, 시니스터 식스

활동 근거지: 뉴욕시

첫 등장: 「어메이징 스파이더맨」(1983) #241

내력: 전기 기술자였던 에이드리언 툼즈가 착용 시 하늘을 날 수 있는 슈트를 만드는 데 전념하는 동안, 그의 동업자인 그레고리 베스트맨은 사업 자금을 횡령하고 서류를 조작하여 회사를 자금을 개인 명의로 돌려놓았다. 자신이 만든 슈트를 입으면 비행 능력과 함께 초인적인 힘까지 생긴다는 사실을 알게 된 툼즈는 적지 않은 나이임에도 불구하고 벌처라는 이름을 쓰며 베스트맨을 습격하여 슈퍼빌런 범죄자가 되기로 결심했다. 범죄 활동을 계속하던 벌처는 결국 스파이더맨(피터 파커)과 부딪혔다. 벌처는 스파이더맨에게 여러 번 패배하여, 시니스터 식스와 함께 싸워 보기도 하지만 이길 수 없었다. 이후 한 싸움에서 벌처는 메이 파커가 스파이더맨의 숙모라는 걸 모른 채, 메이를 인간 방패로 이용했다. 메이의 약혼자이자 벌처의 친구였던 네이던 루벤스키가 벌처에게 매달려 이를 저지하려 했지만, 벌처가 공중으로 솟구치면서 네이던에게 심장 마비가 일어나고 말았다. 네이던의 죽음으로 인해 벌처와 스파이더맨 사이 갈등은 더욱 깊어졌고, 이는 오늘날까지 이어지고 있다. 벌처의 며느리가 수술받던 도중 사망하자, 벌처는 손녀인 티아나의 보호자가 되어 주면서 티아나에게 비행 슈트를 만들어 주었다. 티아나는 슈트를 입고 슈퍼휴먼 스탈링으로 활동한다. 벌처는 동물 콘셉트 슈퍼휴먼 집단인 새비지 식스의 일원으로서 사회에 위협을 가하고 있으며, 아직 체포되지 않았다.

신장: 180센티미터

체중: 79킬로그램

눈동자: 적갈색

머리카락: 없음(과거 갈색)

신체 능력: 벌처는 연령, 신장, 체형이 비슷하고 정기적으로 운동하는 평범한 남성과 근력이 같다. 슈트를 착용하면 근력이 강화되어 약 320킬로그램의 힘으로 들어 올리거나 누를 수 있다.

초능력: 다년간의 비행 슈트 착용으로 외부 도움 없이 스스로 공중에 뜰 수 있다.

한계: 고령에 체력이 떨어져 활동에 지장이 생기곤 한다.

특징: 벌처는 뛰어난 전기 기술자, 발명가, 화학자이다.

무기: 벌처는 전자력을 이용해 비행 슈트를 입는다. 슈트는 반중력 장치를 이용해 시속 152킬로미터로 최대 11,000피트 높이까지 6시간 동안 비행할 수 있다. 또한 날개를 이용해 콘크리트를 절단할 수 있으며, 코스튬에도 일반적인 화기, 올가미, 기름 분무기, 견인 광선, 수류탄, 대상의 생명력을 흡수해 일시적으로 벌처의 젊음을 회복시켜주는 장치 등의 무기가 내장돼 있다.

ASM #72 HANDBOOK VARIANT BY DAVID BALDEÓN & ISRAEL SILVA
TEXT BY MIKE O'SULLIVAN

쇼커

본명: 허먼 슐츠
직업: 전문 범죄자
법적 지위: 대중적으로 잘 알려짐
신원: 없음
출생지: 뉴욕주 뉴욕시
결혼 여부: 이혼
친인척 관계: 신원 미상 모친(사망), 신원 미상 부친, 마틴 슐츠(형제, 사망), 신원 미상 전 배우자
소속: 시니스터 식스
활동 근거지: 뉴욕주 뉴욕시
첫 등장: 「어메이징 스파이더맨」(1967) #46
내력: 실패한 좀도둑인 허먼 슐츠는 세 번째 복역 중 교도소 노역장에서 훔친 부품으로 강력한 진동파를 발사하는 장치를 만들었다. 장치를 이용해 탈옥한 쇼커는 진동 파 반동을 흡수하는 슈트를 만든 후, 양 손목에 진동 파 발생기를 부착하고 쇼커라는 이름으로 범죄 활동을 시작했지만 스파이더맨(피터 파커)에게 계속 패배하여 재수감되었다. 쇼커가 출소했을 때, 퍼니셔(프랭크 캐슬)와 스커지가 수많은 슈퍼빌런을 살해했는데, 이 사건과 그동안 슈퍼히어로에게 계속 패배하며 꺾인 자존심으로 인해 쇼커는 공황 발작을 일으키고 범죄자로서는 심각할 정도로 무능해지고 말았다. 이후 쇼커는 부메랑(프레드 마이어스)이 이끄는 B급 슈퍼빌런 팀인 시니스터 식스에 들어갔지만, 각 멤버가 자기 잇속만 차리며 배신을 일삼는 통에 팀이 해체되었다. 한때 자신을 두들겨 패지 않고 대화를 나누려 하는 쉬헐크를 만나 범죄자 대신 히어로가 되겠다는 생각을 하기도 했지만, 나중에 맨해튼 은행을 털러 하고 말았다. 슈퍼히어로인 로그(안나 마리 레보)와 싸우던 중 다크포스 디멘션에서 넘어온 괴물들이 무고한 시민들을 공격하는 장면을 본 쇼커는 로그를 도와 공격을 저지했는데, 이 덕분에 이후 여러 범죄로 재판을 받게 된 쇼커를 위해 로그가 나서서 성격 증언을 해 주며 그에게 갱생의 여지가 있음을 알렸다.
신장: 175센티미터
체중: 79킬로그램
눈동자: 갈색
머리카락: 갈색
신체 능력: 쇼커는 연령, 신장, 체형이 비슷하고 정기적으로 운동하는 평범한 남성과 근력이 같다. 진동 충격 장치를 사용할 경우 슈퍼휴먼급 힘으로 주먹을 날릴 수 있다.
초능력: 없음
장비: 쇼커는 양 손목에 진동 충격 장치를 착용한다. 이 장치는 큰 진동을 일으키는 고압 공기포를 쏘는데, 콘크리트를 분쇄하거나 강철을 으스러뜨리고 인간 신체에 큰 피해를 준다. 또한 방탄 기능이 있는 슈트는 진동 장치의 반동을 받아넘길 수 있도록 완충재로 단단히 보강했으며, 적에게 잡히거나 맞을 시에 공격을 흘려 넘길 수 있는 진동 방패가 내장되어 있다. 최첨단 화기를 사용하기도 한다.
특징: 쇼커는 천부적인 재능과 독학으로 습득한 지식을 활용하는 발명가이자 숙련된 금고 털이범이다. 또한 화기 사용 훈련도 받았다.

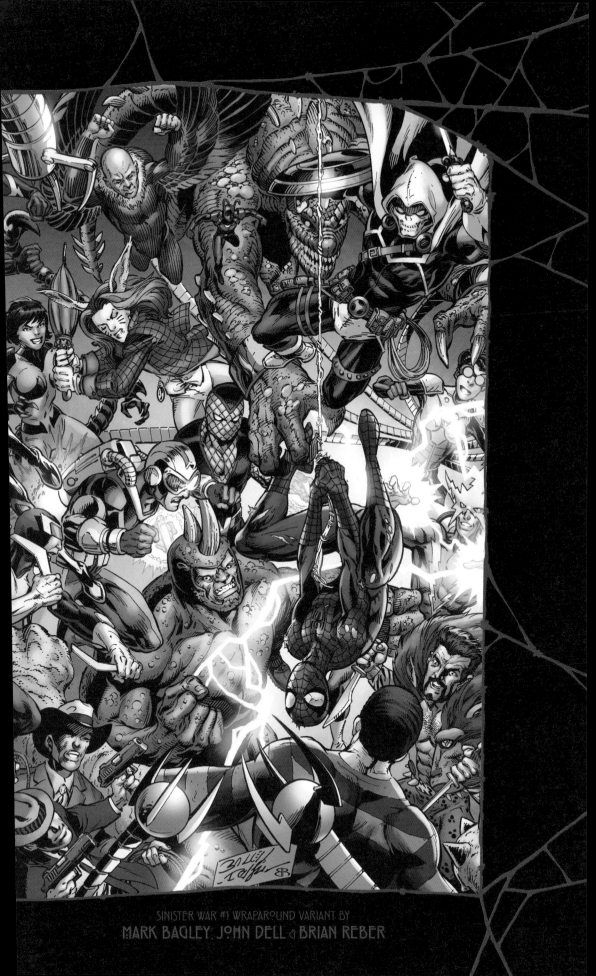

SINISTER WAR #1 WRAPAROUND VARIANT BY
MARK BAGLEY, JOHN DELL & BRIAN REBER

SINISTER WAR #1-2 CONNECTING VARIANT BY
MARK BAGLEY, JOHN DELL & BRIAN REBER

SINISTER WAR #3-4 CONNECTING VARIANT BY
MARK BAGLEY JOHN DELL & BRIAN REBER

SINISTER WAR #1 VARIANT BY JEFFREY VEREGGE

SINISTER WAR #2 VARIANT BY JEFFREY VEREGGE

SINISTER WAR #3 VARIANT BY JEFFREY VEREGGE

SINISTER WAR #4 VARIANT BY JEFFREY VEREGGE

SINISTER WAR #1 VARIANT BY MARCELO FERREIRA & MORRY HOLLOWELL

SINISTER WAR #2 VARIANT BY MARCELO FERREIRA & MORRY HOLLOWELL

SINISTER WAR #1 HEADSHOT VARIANT BY
TODD NAUCK & RACHELLE ROSENBERG

SINISTER WAR #1 HIDDEN GEM VARIANT BY
STEVE DITKO & JASON KEITH

SINISTER WAR #1 VARIANT BY
GARY FRANK & BRAD ANDERSON

SINISTER WAR #1 VARIANT BY
FEDERICO VICENTINI & ALEX SINCLAIR

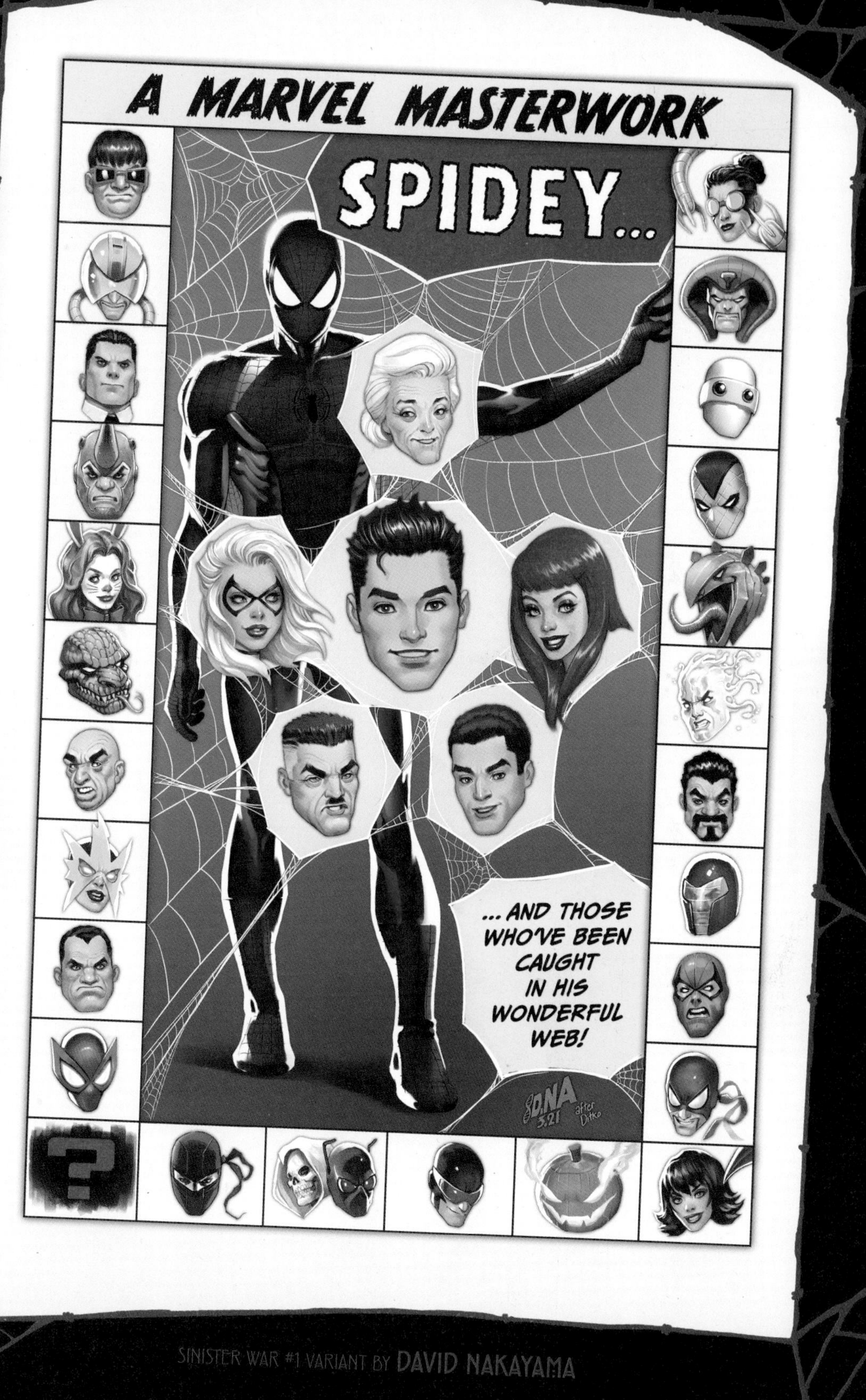

SINISTER WAR #1 VARIANT BY DAVID NAKAYAMA

ASM #74 VARIANT BY
MARK BAGLEY, JOHN DELL
& BRIAN REBER

ASM #74 VARIANT BY
MARCO CHECCHETTO

ASM #74 VARIANT BY
SARA PICHELLI & TAMRA BONVILLAIN

ASM #74 VARIANT BY PEACH MOMOKO

ASM #74 FORESHADOW VARIANT BY MICHAEL DOWLING